KB038154

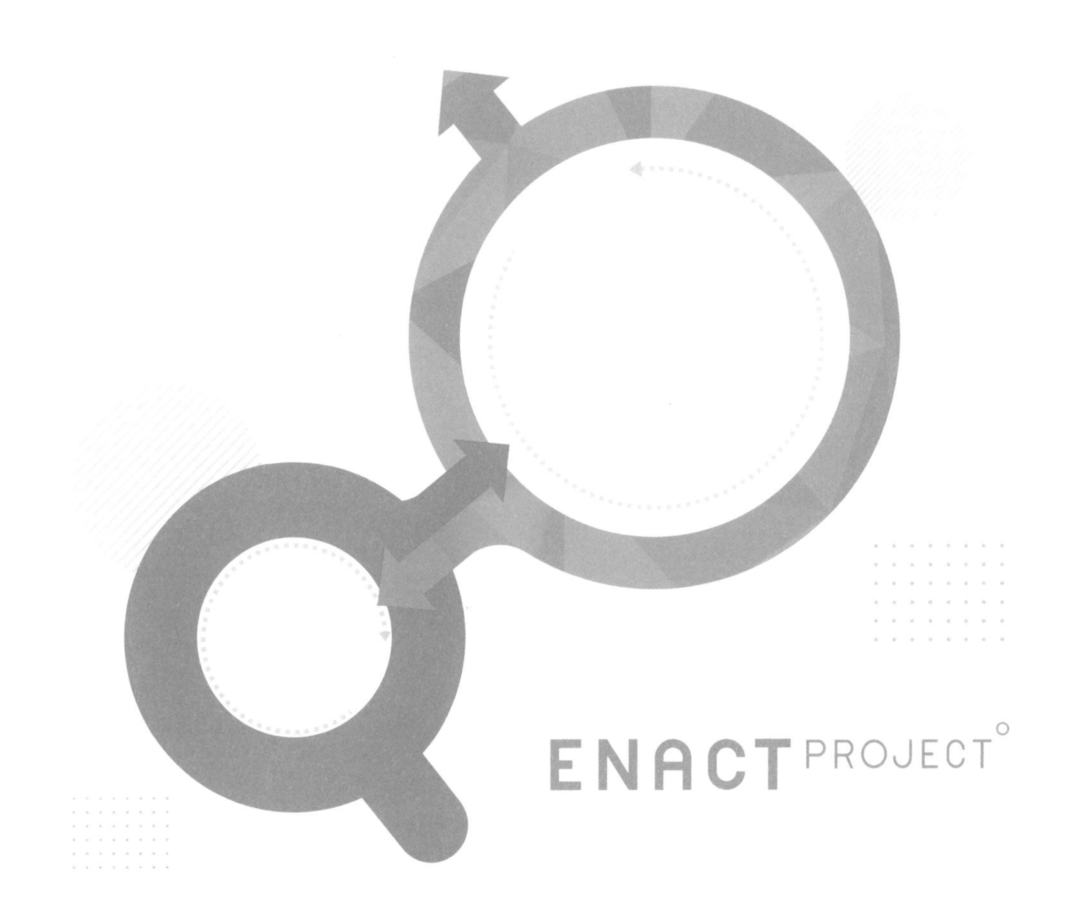

함께 해보는
과학기술 쟁점해결과 실천

ENACT 프로젝트 워크북

이현주 · 황요한 · 고연주 · 최유현
옥승용 · 남창훈 · 심성옥 · 김가형 지음

CONTENTS

목차

ENACT PROJECT

STEP 1 쟁점발견

STEP 2 쟁점탐색

STEP 3 미래상황 예측

STEP 4 과학 · 기술 · 공학적 쟁점해결

STEP 5 사회적 실천

WORKBOOK

ENACT PROJECT

1. 쟁점발견

1-① 과학기술관련 사회쟁점 나열하기

1-② 관심있는 과학기술관련 사회쟁점 선택하기

1-③ 쟁점을 해결해야 하는 이유 생각하기

1-④ 쟁점과 관련된 과학기술 정보 조사하기

2. 쟁점탐색

2-① 쟁점에 대한 생각 적어보기

2-② 이해관계자 지도 그리기

3. 미래상황 예측

3-① 퓨처스휠 작성하기

3-② 미래사회 시나리오 작성하기

3-③ 바람직한 방향으로 나아가기 위한 실천 방안 생각하기

4. 과학·기술·공학적 쟁점해결

4-① 문제 구체화하기

4-② 아이디어 내기

4-③ 아이디어 평가하기

4-④ 아이디어 실행하기

4-⑤ 실행결과 평가하기

5. 사회적 실천

5-① 사회적 실천 방안 기획하기

5-② 사회적 실천 실행결과 기록하기

5-③ 사회적 실천 실행결과 수정 및 보완하기

1. 쟁점발견

1-① 과학기술관련 사회쟁점 나열하기

1-② 관심있는 과학기술관련 사회쟁점 선택하기

1-③ 쟁점을 해결해야 하는 이유 생각하기

1-④ 쟁점과 관련된 과학기술 정보 조사하기

STEP 1

쟁점발견

쟁점발견 단계는 과학기술과 관련된 여러 가지 사회쟁점을 찾아보고 논란이 되는 부분을 살펴본 후, 쟁점과 관련된 과학기술을 이해하는 단계이다. 이를 통해 과학기술이 우리 삶에 편리함을 가져다주는 동시에 위험과 문제도 낳을 수 있으며, 우리 사회에 존재하는 쟁점을 해결해보고자 하는 필요성을 인식할 수 있다. (읽어보기 쟁점이란 무엇일까? 45쪽 참고)

1-①. 다양한 과학기술관련 사회쟁점을 찾아 나열해 보자.

과학기술	과학기술관련 사회쟁점

도움받기 **과학기술관련 쟁점은 어떻게 찾을 수 있을까?**

1. 쟁점: 논란의 여지가 있는 문제로, 장단점이 분명하게 존재한다.
2. 방법1: 평소에 관심있는 과학기술이나 제품, 또는 좋아하는 과목이나 전공 분야를 떠올려 본다. 과학기술이나 해당 기술을 이용한 제품을 생각해보고, 이와 관련된 사회쟁점이 무엇이 있을지 검색해본다.
3. 방법2: 미디어에 등장하는 과학기술과 관련된 사회쟁점을 찾아본다. 관심있는 과학기술이나 첨단기술과 함께 사회문제, 사건, 피해, 논란 등의 키워드를 검색해볼 수 있다.

방법 1	방법 2
과학기술을 중심으로 생각해보기	**사회쟁점을 중심으로 생각해보기**
• 평소에 관심있는 과학기술이나 분야 • 과학기술을 이용한 제품	• 미디어 속 등장하는 사회쟁점 • 사회문제, 사건, 피해, 논란 등의 키워드

[그림 1] 쟁점발견을 위한 두 가지 방법

이때 고민해볼 수 있는 질문은 다음과 같다.

① 우리의 삶과 연관이 있는 쟁점에는 무엇이 있을까?
② 우리가 조금이나마 해결해볼 수 있을 만한 문제가 있을까?
③ 인터넷 기사에 과학기술을 검색해보거나, 우리 지역/나라의 사회문제를 찾아보자.

예시 과학기술	예시 과학기술관련 사회쟁점
노이즈 캔슬링	노이즈 캔슬링으로 인해 위험을 알리는 주변 소리가 차단되는 문제
생분해성 플라스틱	생분해성 플라스틱 분리배출에 대한 인식 부족
일회용 마스크	코로나19 팬데믹 속 일회용 마스크 소비 및 폐기 문제
미세섬유	세탁 시 나오는 미세섬유가 우리의 입 속으로?

1-②. 1-①에서 찾은 여러 개의 과학기술관련 사회쟁점 중 가장 관심 있는 쟁점을 하나 선택하고, 주요 내용을 살펴보자.

관심 있는 쟁점	논란이 되는 부분과 그 이유는 무엇인가?

1-③. 여러분이 선정한 쟁점을 해결해야 하는 이유를 작성해보자.

1-④. 쟁점과 관련된 과학기술 정보를 조사해보자.

도움받기 **해당 기술과 관련된 정보**

(예시) 미세플라스틱은 길이나 지름이 5mm 이하인 플라스틱으로, 1차, 2차 미세플라스틱으로 나눠짐.

- 1차 플라스틱: 제조 당시부터 5mm 이하로 만들어져 스크럽제나 치약 등에 원료로 쓰이는 플라스틱. 마이크로비즈(microbeads)라고도 불리며, 우리나라는 2018년 7월부터 금지
- 2차 플라스틱: 플라스틱 페트병처럼 큰 플라스틱이 마모되거나 쪼개져 조각이 된 플라스틱

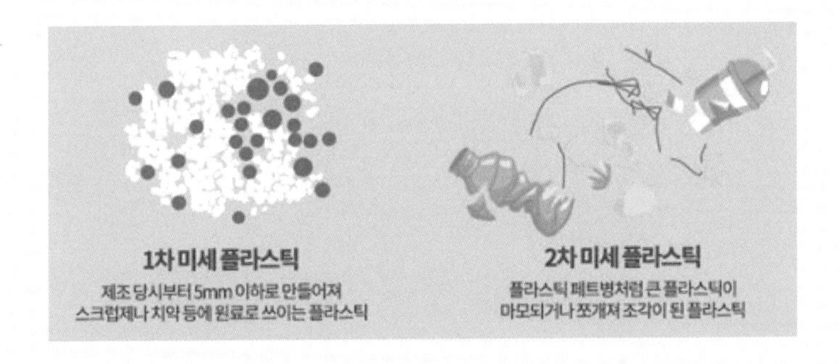

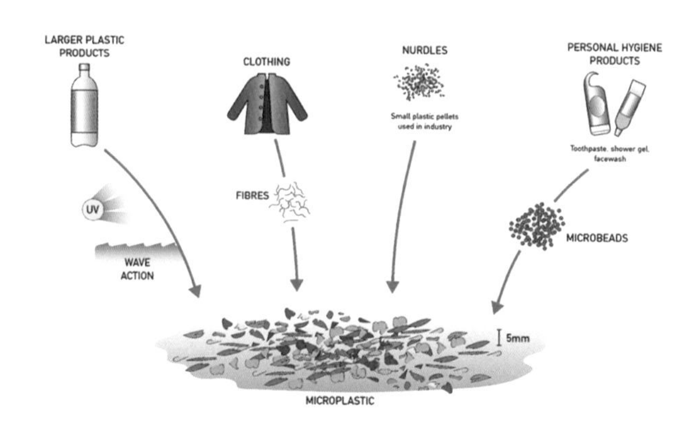

도움받기 **인터넷 검색 시 주의사항**

- 쟁점과 관련된 '과학기술', '사회적 논란', '과학기술로 인한 피해', '과학기술로 인한 사건', '과학기술로 인한 사건의 법정 판결', '정부조치' 등에 대해 검색한다.
- 쟁점에 대한 관련 인터넷 자료는 신뢰할 수 있는 미디어 매체의 뉴스나 신문 기사 혹은 공공기관의 사이트 등을 중심으로 검색한다.
- 쟁점과 관련한 환경단체, 지역신문, 환경활동가의 SNS를 참고하되 객관적이고 신뢰할 만한 자료를 중심으로 검색하고 그들이 입장이나 개인적인 의견은 참고한다.

STEP 1

CHECKLIST

(1=매우 그렇지 않다, 2=그렇지 않다, 3=보통이다, 4=그렇다, 5=매우 그렇다)

	체크문항	1	2	3	4	5
1	과학기술과 관련된 사회쟁점에 무엇이 있는지 말할 수 있는가?					
2	과학기술과 관련한 사회쟁점의 심각성을 알게 되었는가?					
3	과학기술과 관련한 사회쟁점을 해결해야 할 필요성을 느끼게 되었는가?					

성찰일지

쟁점발견 단계를 수행하면서 새롭게 알게 된 점, 수행하는데 어려웠던 점 등을 자유롭게 적어보자.

2. 쟁점탐색

STEP
2

쟁점탐색

쟁점탐색 단계는 관심 있는 쟁점을 본격적으로 탐색해보는 쟁점탐색 단계이다. 과학기술과 관련된 쟁점을 둘러싸고 있는 다양한 이해관계자들을 살펴보고, 처해있는 상황이나 입장에 따라 쟁점에 대한 해석이 달라질 수 있음을 알게 된다. (읽어보기 이해관계자는 무엇일까? 50쪽 참고)

2-①. 선정한 쟁점에 대한 자신의 생각을 간단하게 적어보자.

쟁점에 대한 나의 입장과 그 이유

2-②. 선정한 사회쟁점을 둘러싼 사람(개인, 집단)뿐만 아니라 환경, 문화와의 직간접적인 영향을 나타내는 이해관계자 지도를 작성해 보자.

[그림 2] 이해관계자 지도 작성을 위한 세부 단계

❶ 과학기술관련 사회쟁점을 중앙에 적고 주요 이해관계자 나타내기

선정한 과학기술관련 사회쟁점을 중앙에 적는다.

일회용 생리대 화학 접착제

선정한 쟁점과 관련된 다양한 이해관계자를 나열해본다. 먼저 스스로 이해관계자 목록을 작성해본 후, 조원들과 공유하여 주요 이해관계자가 모두 포함될 수 있도록 한다.

소비자, 일회용 생리대 기업, 정부, 식품안전품의약처, 대체재 생산업체, 면생리대 생산업체, 생리컵생산업체, 접착제 제조업체, 생리대 개발자, 해외직구 대행업체, 시민단체, 생리대 판매업체, 환경, 해양, 토양, 대기 등

❷ 이해관계자 연결하기

중앙의 쟁점을 시작으로 쟁점과 영향을 주고받는 이해관계자를 적어보자. 비슷한 입장에 있는 이해관계자를 가까운 위치에 둔다.

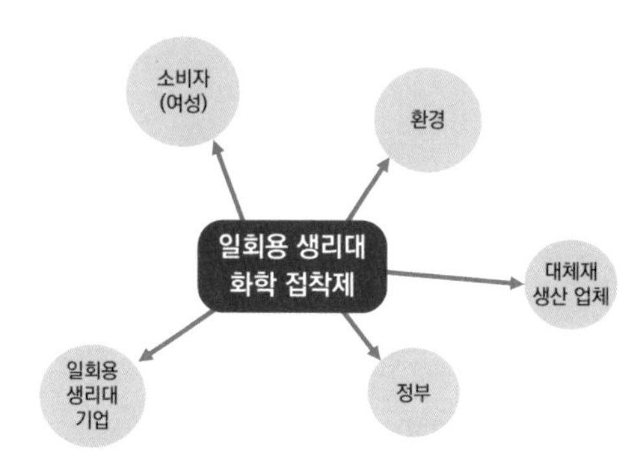

쟁점과 이해관계자를 '선'으로 연결하고 그 관계를 적는다.

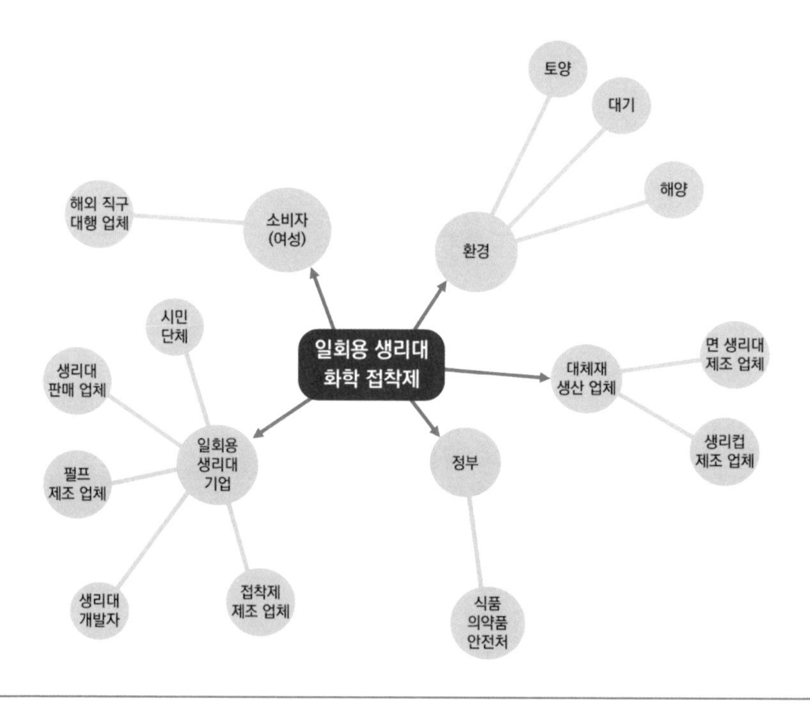

❸ 이해관계자 지도 그리기

관계의 중요도나 영향력, 연결정도를 고려하여 선의 방향이나 원(사각형)의 크기, 색상 등을 다르게 해본다.

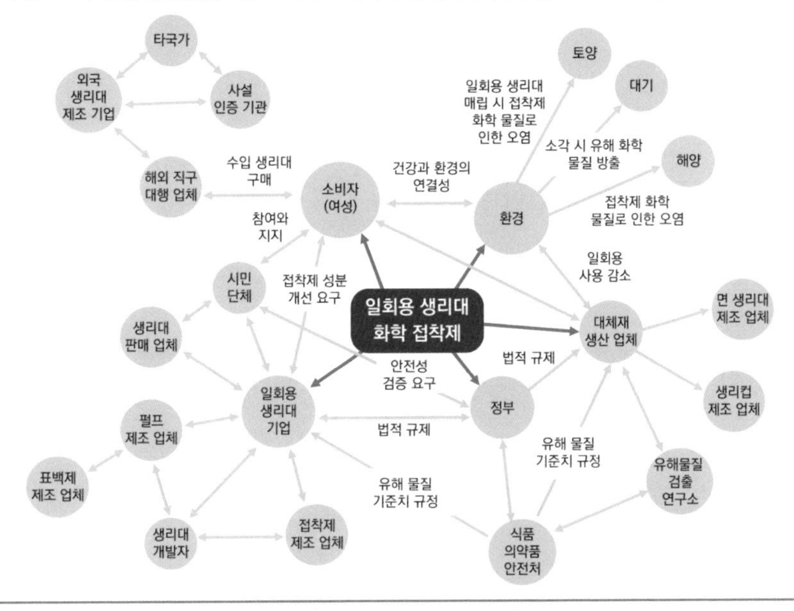

❹ 해결할 수 있는 문제 찾아보기

이 중에서 우리가 조금이나마 해결해볼 수 있는 부분이 무엇일지 생각해본다.

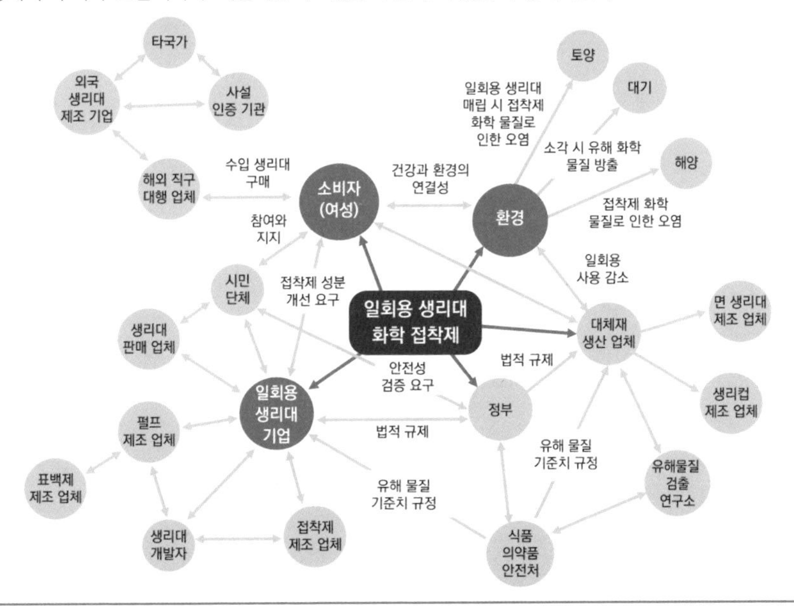

도움받기 **이해관계자란 무엇일까?**

▶ 쟁점에서 이해관계자란?

쟁점과 관련한 다양한 입장이 존재한다. 이 입장은 쟁점과 관련하여 어떠한 영향을 받는지에 따라 달라진다. 이와 같이 쟁점과 긍정적인 영향과 부정적인 영향을 주고받는 사람(개인, 집단), 환경(식물, 동물, 해양, 토양, 대기 등), 문화(경제, 교육, 사회 등)등을 이해관계자(stakeholders)라 한다.

(*선정한 쟁점* **)의 이해관계자 지도**

작성한 이해관계자 지도에서 주요 이해관계자는 어떤 것인지 적고 그 이유를 적어 보자.

주요 이해관계자	이유

STEP 2

CHECKLIST

(1=매우 그렇지 않다, 2=그렇지 않다, 3=보통이다, 4=그렇다, 5=매우 그렇다)

	체크문항	1	2	3	4	5
1	쟁점을 둘러싼 다양한 입장을 이해하였는가?					
2	쟁점을 둘러싼 다양한 입장들 간의 복잡성을 이해하였는가?					
3	쟁점과 관련한 과학기술의 안전성이 불확실하다는 것을 인식하였는가?					
4	쟁점이 인간뿐만 아니라 환경에 미치는 영향에 대해 인식하였는가?					

성찰일지

쟁점발견 단계를 수행하면서 '과학기술의 본성'이나 '과학기술로 인해 야기된 쟁점의 특성(예: 다양한 주체 간의 대립, 복잡성 등)'에 대해 새롭게 알게 된 점, 수행하는데 어려웠던 점 등을 자유롭게 적어보자.

3. 미래상황 예측

3-① 퓨처스휠 작성하기

3-② 미래사회 시나리오 작성하기

3-③ 바람직한 방향으로 나아가기 위한 실천 방안 생각하기

STEP 3

미래상황 예측

미래상황 예측 단계는 과학기술의 잠재적인 위험과 사회적 영향을 고려하여, 미래시점에서의 상황을 예측해보는 단계이다. 특히 현재 과학기술과 관련된 쟁점이 지속될 경우 일어날 미래와 이 문제를 모두 해결하여 바람직하게 개선될 경우의 미래상황을 상상해봄으로써, 현재의 상황에서 해결할 수 있는 실천방안을 생각해보게 된다.

3-①. 미래에 쟁점으로 인해 발생할 수 있는 파급효과(영향)을 퓨처스휠(Futures Wheel)을 이용하여 작성해 보자. (읽어보기 퓨처스휠이란 무엇인가? 62쪽 참고)

도움받기 퓨처스휠 작성방법

① 2단계에서 탐색한 쟁점 또는 주제를 퓨처스휠의 중앙에 적는다.

생리대
화학 접착제

② 해당 쟁점으로 인해 발생할 수 있는 1차 사회적 파급 영향들을 다양한 분야에서 고려하여 중앙 쟁점 주변에 적어 1차 수레바퀴를 완성한다. 과학기술관련 쟁점으로 인해 가장 가깝게 영향을 받을 수 있는 부분을 생각해본다.

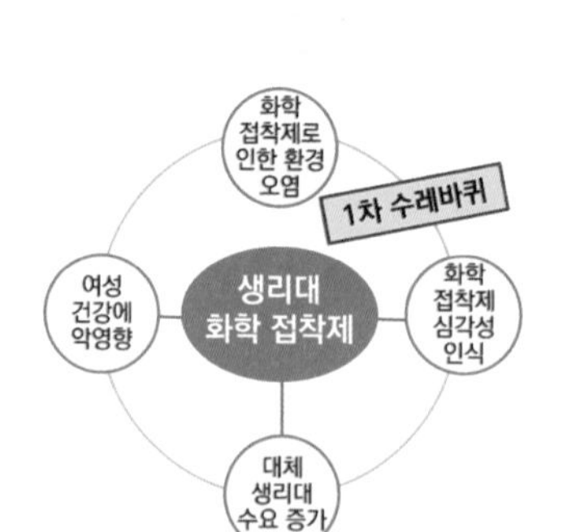

③ 2차 수레바퀴를 만든다. 이후 3, 4차 파급영향으로 확장한다.

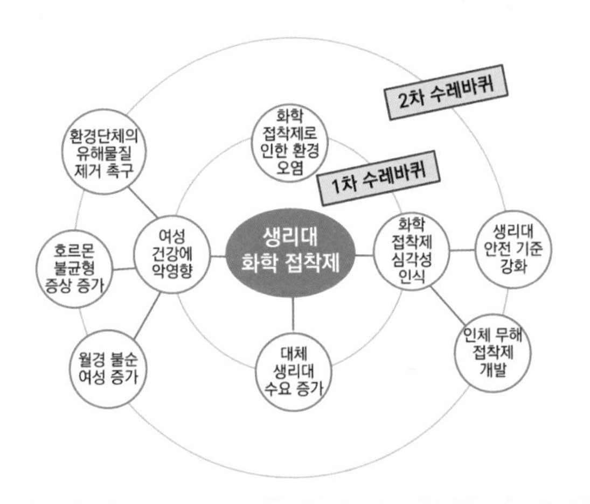

④ 수레바퀴를 최대한 확장시킨 후, 사회적 파급 영향들 간에 서로 주고받는 관계가 있다면 화살표로 인과관계 또는 상관관계를 추가적으로 표시한다.

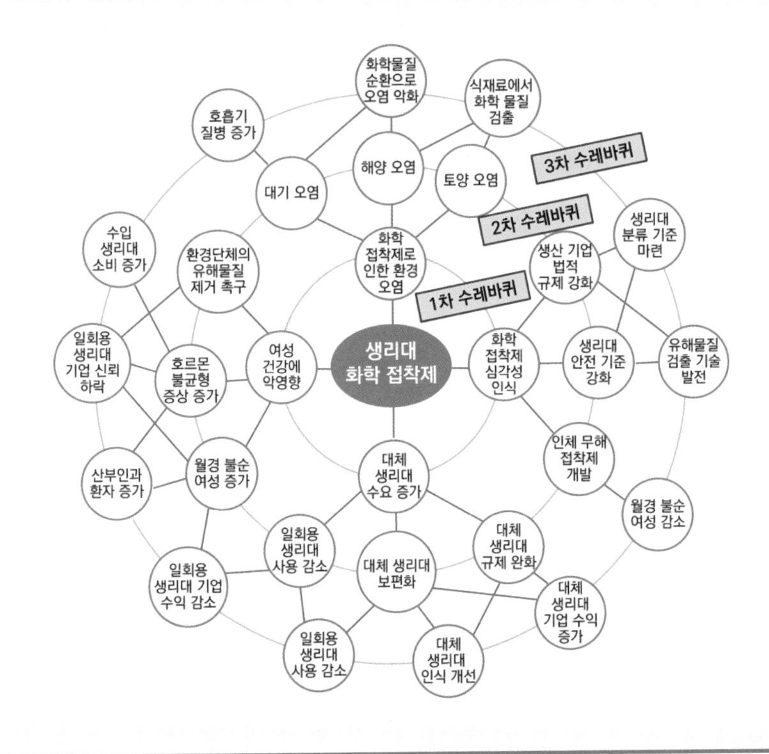

▶ 퓨처스휠(Futures Wheel) 기법

퓨처스휠은 국제미래학회 회장인 제롬 글렌(Jerome Glenn)이 1971년에 개발한 미래예측기법으로, 새롭게 발생하는 문제가 미래 사회에 미치는 영향을 분석하기 위해 개발된 방법이다. 특히 퓨처스휠은 마인드맵과 같이 중간에 주요 주제어를 두고 나뭇가지를 뻗어나가듯이 미래를 예측할 수 있도록 되어 있다. 퓨처스 휠은 1차, 2차, 3차 수레바퀴를 두고 그 사이를 가지치듯이 연결하여 표현하기 때문에, 단순히 1차적으로 미래에 미치는 영향뿐만 아니라 2차, 3차로 파급되는 영향을 알아내는 데 용이하다. 또한 서로 다른 하위 바퀴가지들을 연결하여 표현하기 때문에 다양한 영역 간 관계도 파악할 수 있다.

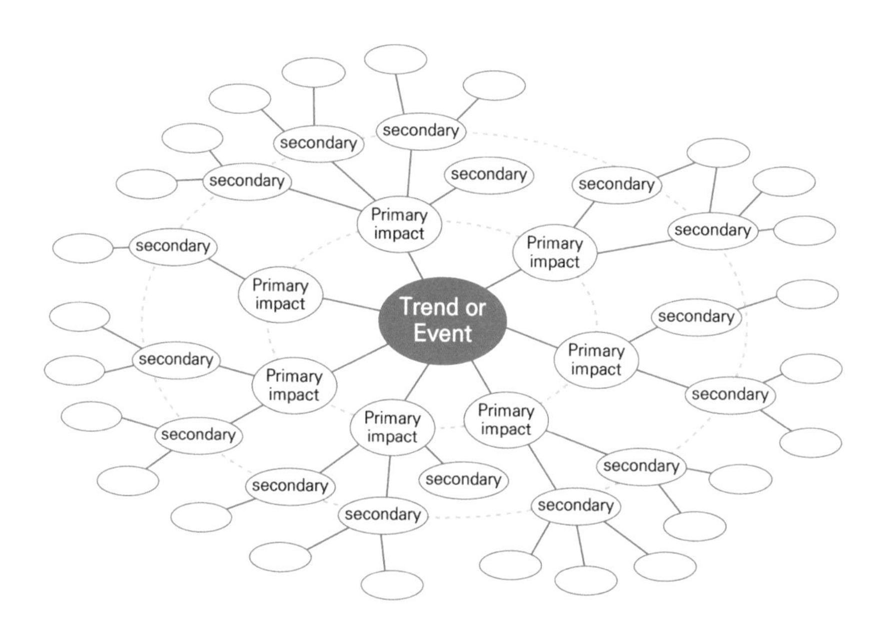

[그림 3] 박영숙(2007), 전략적 사고를 위한 미래예측

(*선정한 쟁점*) **퓨처스휠**

쟁점

3-②. 퓨처스휠을 바탕으로 현재 상황이 지속되었을 때의 미래와 바람직한 미래를 상상해보고, 상상한 미래사회 모습을 글로 묘사해 보자. (읽어보기 미래가 다양할 수 있다? 66쪽 참고)

1. 아무런 노력 없이 현재의 문제상황이 지속된다면 10년 후 미래 모습이 어떻게 될 지 예측하여 글로 작성해보자.

2. 현재의 쟁점이 바람직하게 개선된다면 10년 후 미래 모습이 어떻게 될 지 예측하여 글로 작성해보자.

3-③. 다양한 미래사회 시나리오를 통해 바람직한 방향으로 가기 위해 우리가 할 수 있는 실천 방안은 무엇이 있을지 작성해 보자.

STEP 3

CHECKLIST

(1=매우 그렇지 않다, 2=그렇지 않다, 3=보통이다, 4=그렇다, 5=매우 그렇다)

	체크문항	1	2	3	4	5
1	쟁점이 미래사회에 미칠 수 있는 파급효과에 대해 인식하였는가?					
2	쟁점이 미래사회에 미칠 수 있는 파급효과에 대한 위험성을 인식하였는가?					
3	미래사회 시나리오 작성을 통해 쟁점으로 인한 다양한 미래사회를 예측할 수 있었는가?					
4	쟁점해결 방안이 우리가 추구하는 더 나은 미래사회에 가까워질 수 있는가?					

성찰일지

미래상황 예측 단계를 수행하면서 새롭게 알게 된 점, 수행하는데 어려웠던 점 등을 자유롭게 적어보자.

WORKBOOK

4. 과학·기술·공학적 쟁점해결

4-① 문제 구체화하기
4-② 아이디어 내기
4-③ 아이디어 평가하기
4-④ 아이디어 실행하기
4-⑤ 실행결과 평가하기

STEP 4 과학 · 기술 · 공학적 쟁점해결

쟁점해결 단계는 STEP 1, 2, 3에서의 쟁점에 대한 충분한 탐색과 이해를 바탕으로 더 나은 미래사회를 위해 쟁점 중에 시급하게 해결해야 할 문제를 해결하기 위해 과학 · 기술 · 공학적 설계를 하는 단계이다. 본 단계는 크게 문제 구체화하기, 아이디어 내기, 아이디어 실행하기, 실행결과 평가하기로 이루어져 있다.

4-①. 문제 구체화하기

4-①-❶. 문제를 구체화하기 위해 어떤 정보가 필요할까? 이를 위해 누구를(무엇을) 대상으로 어떻게(관찰, 면접, 현장조사 등) 조사하면 방안을 마련하는 데 도움이 될지 적어보자.

도움받기 **조사 내용에 포함될 수 있는 내용**

- 관찰 시: 관찰되는 것이 무엇인가? 관찰대상이 쟁점에 대해 어떤 말을 하는지, 어떤 행동을 하는지, 관찰대상으로부터 무엇이 느껴지는지 등
- 면접 시: 쟁점과 어떤 관련성이 있는지, 쟁점으로 인해 어떤 고통과 피해를 받았는지, 쟁점해결 시 요구하는 것이 있는지, 면접 과정에서 무엇을 느낄 수 있는지 등
- 현장조사 시: 현장에서 어떤 일이 일어나고 있는지, 현장 환경 및 분위기는 어떠한지, 현장의 상태는 어떤지, 현장에서 요구되는 것은 무엇인지 등

문제를 구체화하기 위해 필요한 정보	
문제를 구체화하기 위해 필요한 대상은?	
조사 방법	관찰 (　　　)　　면담 (　　　) 현장조사 (　　　)　기타 (　　　)

대상 및 선정 이유	
장소 및 일시	
내용	
기타 및 특이 사항	

4-①-❷. 위 4-① 활동을 바탕으로 문제를 구체화하기 위한 최적의 문제를 해결하기 위한 변인/요인에는 무엇이 있는지 적어보자.

■ 변인/요인 찾기

- 가설설정을 위한 종속변인, 조작변인, 통제변인
- 문제 해결을 위해 개선해야 할 요소

4-②. 아이디어 내기 (읽어보기 브레인 라이팅 기법이란 무엇인가? 76쪽 참고)

4-②-❶. 앞서 선정한 최적의 문제를 해결하기 위한 아이디어를 같은 색의 포스트잇에 5개 이상 적어 A4에 개별적으로 붙여보자. 이때, 각 포스트잇에는 하나의 아이디어만을 적는다.

	개별 아이디어	
1		
2		
3		
4		
5		

4-②-❷. 작성한 개별 아이디어를 팀 내에서 돌려가며 공유한다. 다른 팀원의 아이디어에 대해 확장된 아이디어는 해당 아이디어 아래 포스트잇에 적어서 붙이고, 새롭게 떠오른 아이디어는 포스트잇에 적어서 나란하게 붙인다.

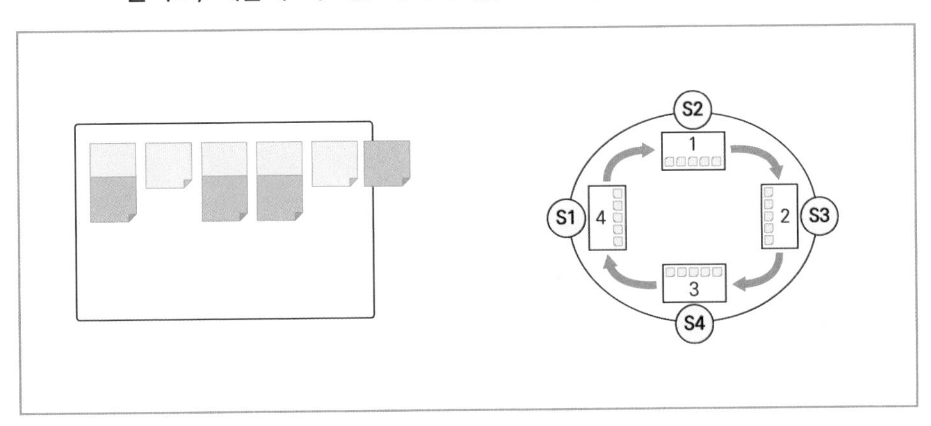

4-②-❸. 공유를 마친 아이디어 묶음 하나를 전지의 상단에 붙인다. 이때, 전지에 붙은 아이디어와 다른 새로운 아이디어는 나란하게, 유사한 아이디어는 해당하는 아이디어 아래에 붙인다. 아이디어를 모두 붙인 후, 각각의 아이디어에 대해 공동으로 논의하면서 유사하게 묶여 있는지 확인하고 중복되거나 대안에서 벗어나는 아이디어는 제외한다.

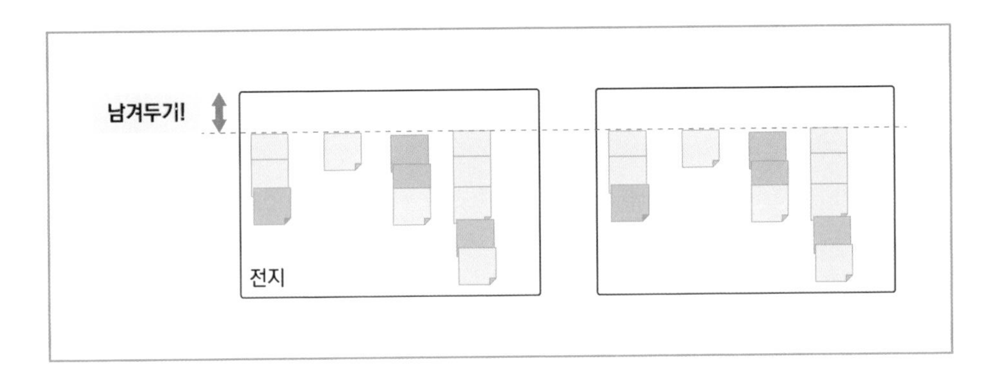

4-②-❹. 각 묶음의 아이디어를 모두 포함할 수 있는 구체적인 아이디어를 각 묶음의 상단에 적어보자.

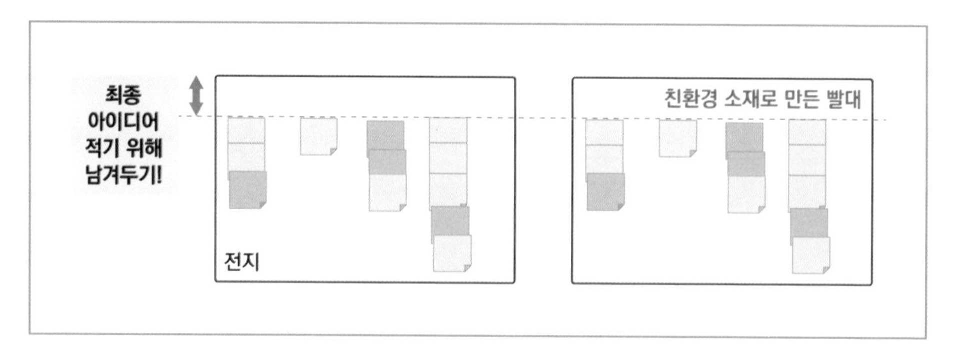

▶ 유의할 사항

- 각 묶음마다 하나의 공통된 아이디어는 같은 분류의 모든 아이디어를 최대한 포함할 수 있도록 한다.
- 이 과정에서 같은 묶음에 해당하지 않는 아이디어로 재평가된다면, 가장 유사한 다른 묶음영역으로 옮기거나 해당하는 묶음이 없다면 새로운 묶음으로 구분한다.
- 각 묶음마다 위의 과정을 되풀이 하면서 아이디어를 개선해 본다.

4-③. 최종 아이디어를 평가할 수 있는 기준을 정하고 앞에서 도출한 아이디어들을 평가하여 우선순위를 결정해보자. (예: 기술, 사회적 인식, 경제성, 실현가능성 등)

※ ALU 기법, PRM 기법, WFEM 기법 중 선택하여 사용 가능

(1) ALU 기법

평가준거 \ 아이디어		아이디어A	아이디어B	아이디어C	아이디어D	비고
	A(장점)					
	L(제한점)					
	U(독특한 특성)					
	A(장점)					
	L(제한점)					
	U(독특한 특성)					
	A(장점)					
	L(제한점)					
	U(독특한 특성)					
	A(장점)					
	L(제한점)					
	U(독특한 특성)					
최종 선정된 아이디어						

도움받기 **ALU 기법**

▶ ALU 기법(Advantage, Limitation and Unique Qualities)

창의적 문제 해결의 기본적인 수렴적 사고 도구로, 발산적 사고를 통해 얻어진 다양한 아이디어들에 대해 '강점', '제한', '독특한 특성'을 고려하여 최적의 아이디어를 선정하는 사고 도구이다.

① 발산적 사고를 통해 얻어진 다양한 아이디어를 적는다.

② 실현 가능성, 경제성, 기술 등 아이디어 평가 준거를 적는다.

③ 각 아이디어에 대해 평가 준거에 따라 '강점', '제한점', '독특한 특성'을 적는다.

평가준거 ③ \ 아이디어		아이디어A ①	아이디어B	아이디어C	아이디어D	비고
② 실현가능성	A(장점)					
	L(제한점)					
	U(독특한 특성)					

(2) PRM 기법

① 평가준거 1:

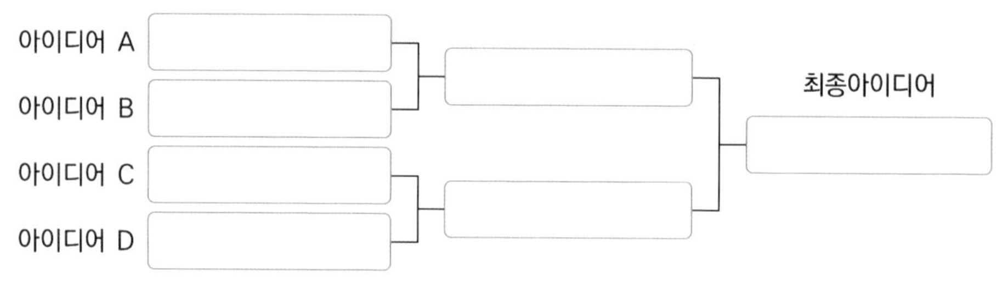

② 평가준거 2:

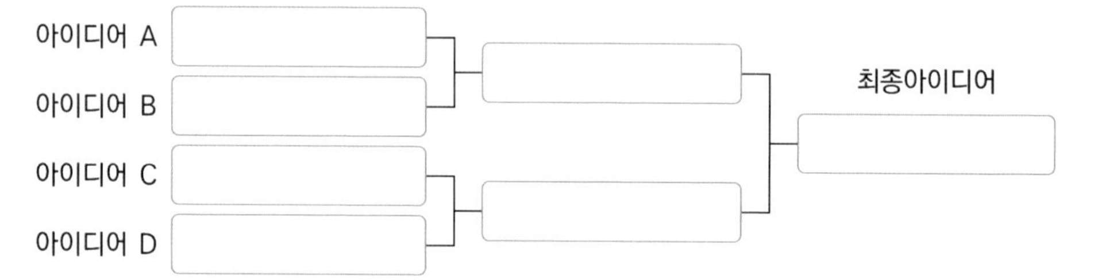

도움받기 **PRM 기법**

▶ PRM 기법(Pair Ranking Method)

- Pair–Ranking Method(PRM) 기법은 ALU에 비해 과정이 많고 복잡하기는 하지만, 선정할 아이디어를 명확하게 추려낼 수 있다는 장점이 있다. 따라서 아이디어를 평가할 때에는 아이디어의 개수나 평가의 타당성 등을 고려하여 더 선호하는 방법을 이용하면 된다.

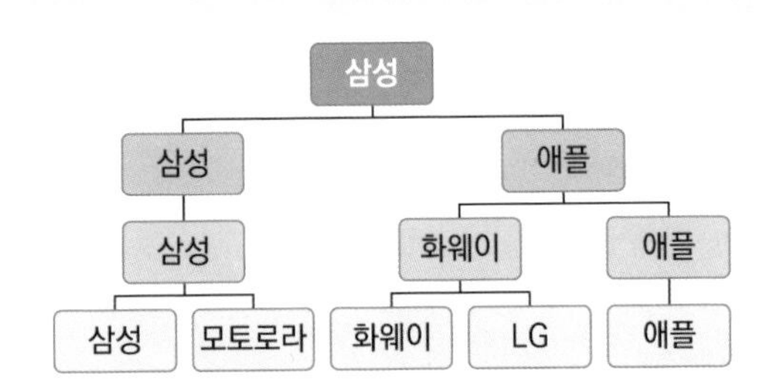

- PRM은 짝을 지어 평가하는 방식, 흔히 말해 '이상형 월드컵' 방식을 이용한다. 후보군이 있다면 이를 두 개씩 서로 비교해서 가장 좋은 것을 선택하는 방식이다. 이는 최종 1개의 후보군을 결정할 때는 좋은 방법이긴 하나, 2, 3위의 후보군이 실제 순위와는 다를 수 있다는 함정이 있다.

(3) WFEM 기법

판단기준 / 아이디어	(가중치:)	(가중치:)	(가중치:)	(가중치:)	총점	최종 순위

도움받기 WFEM 기법

▶ 가중치 평가 기법(Weighting-Factored Evaluation Method, WFEM 기법)

- PRM 기법과 같이 두 개씩 평가하지 않더라도 평가 준거 선정 과정과 가중치 부여를 통해 타당성을 높일 수 있다. 이를 가중치 평가 기법(Weighting-Factored Evaluation Method)이라 한다.
- 가중치 평가 기법에서는 최소 2-3번의 투표를 하게 되는데, 그 중 첫 번째 투표가 평가 준거 선정 투표이다. 이때 가중치까지 함께 결정된다. 어떤 회사의 핸드폰을 사용할 것인가에 대한 예를 통해 생각해보자. 핸드폰을 살 때 고려하게 되는 다양한 기준(평가 준거)을 서로 말해서 정리한 다음, 이 중 어떤 평가 준거가 더 중요하다고 생각하는지 그룹원이 3-4개 가량 투표한다.
- 여기서 평가 준거 선정을 위해 투표를 하는 이유는 평가 준거가 많으면 결정이 오히려 어려워지며, 평가 준거를 찾기 위한 브레인스토밍에서는 제시되었지만 다시 생각해보니 중요하지 않은 것 같은 준거를 제외하기 위해서이다. 아래 그림에서도 F(무게) 준거는 누군가 아이디어를 제시했지만, 아무도 중요하게 생각하지 않아 득표수가 하나도 없다. 아래 예시에서는 5명이 중요하다고 생각하는 준거를 3개씩 투표하였고, 그 중 많은 득표를 한 가격, 모양, 인기도 세 가지가 최종 평가 준거로 선정되었다.

핸드폰	얻은 투표	총 투표수
A(크기)	1	1
B(모양)	1111	4
C(색깔)	11	2
D(가격)	11111	5
E(인기도)	111	3
F(무게)		0
합계	3×5(명)=15	15

- 이 3개는 '각자 얻은 득표 수 / 3개 득표수의 합'으로 계산되는 가중치를 부여받는다. (제외된 3개의 평가 준거에 투표된 수는 제외한다.) 예) 가격은 총 12표 중에 5표 득표 : 5/12=0.42

• 기준이 3개로 결정되었으므로, 판단해야 하는 대상들을 세 가지 기준으로 다시 투표를 한다. 아래 예시 표는 한 사람이 각 기준에 합하다고 생각하는 것을 2개씩 선택하게 한 후, 그 득표 결과에 각 기준의 가중치를 곱해서 모두 더한 값을 총점으로 하여 순위를 매겼다. 총점이 3점인 삼성이 1위, 1.08인 모토로라가 5위이다.

핸드폰	가격 (0.42)	모양 (0.33)	인지도 (0.25)	총점	순위
삼성	3	3	3	3.00	1
모토로라	1	2	0	1.08	5
화웨이	2	0	3	1.59	4
LG	1	3	1	1.66	3
애플	3	2	3	2.67	2
합계	5명×2안=10	10	10		

4-④-❶. 최종 선정된 아이디어를 실행하기 위한 가장 적합한 방법은 무엇인지 적어보자.

아이디어 실행 방법	

도움받기 **아이디어 실행방법**

▶ 아이디어 실행 방법 (읽어보기 다양한 사례 읽어보기. 82쪽 참고)

• **프로토타입 설계**: 쟁점해결 아이디어가 기존의 제품을 개선하거나 새로 개발하는 경우로 아이디어 시각화하기, 아이디어 설계하기, 아이디어 실행하기, 아이디어 실행결과 정리하기로 이루어져 있다.

(예) 플라스틱 빨대 사용을 줄이기 위한 컵뚜껑 제작

(예) 저소음 전동킥보드의 진동 및 경고등 제작

(예) 쓰레기를 줄이기 위한 일회용 마스크 제작

- **실험 설계**: 쟁점해결을 위해 관련된 변수에 대한 관계를 알아보기 위한 경우로 가설설정하기, 선행연구 조사하기, 실험방법 설정하기, 실험수행하기, 실험결과 정리하기, 실험결론 도출하기로 이루어져 있다.
  (예) 노이즈 캔슬링이어폰의 위험소음 인식
  (예) 천연접착제 제작 및 접착력, 균저항성 실험
  (예) 메타버스(VR) 이용 시 나타나는 시간압축 실험

- **데이터 분석**: 쟁점해결을 위해 알고리즘과 수학적 처리과정을 적용하여 해당 정보에 대한 결론을 도출하고 패턴을 찾기 위한 목적으로 초기 데이터를 다루는 분석으로 자료들 간의 의미있는 상관관계를 찾기 위한 경우로 데이터 수집하기, 데이터 전처리하기, 데이터 모델링하기, 데이터 시각화하기로 이루어져 있다.
  (예) 고객 니즈와 선호도에 대한 데이터 분석을 통한 소비자의 구매 경험 최적화
  (예) 스마트 그리드 관리, 에너지 최적화, 에너지 분배 및 빌딩 자동화를 포함하여 에너지 관리
  (예) 토종식물과 외래식물 구분을 위한 인공지능 모델 개발

▶ 프로토타입 설계를 선택했다면,

① 최종 선정된 아이디어를 시각화하고 아이디어에 대한 특징과 제한점 등을 자세하게 적어 보자. (읽어보기 프로토타입 방법에 대한 예시는 무엇이 있을까? 83쪽 참고)

② 시각화한 아이디어를 바탕으로 프로토타입을 제작하기 위한 목적과 필요성을 적어보자.

③ 프로토타입 제작을 위한 필요한 배경지식은 무엇인지 적어보자.

④ 프로토타입을 제작하기 위한 재료와 장비를 정리해 보자.

재료	
필요 장비나 기기	
필요 하드웨어/ 소프트웨어 프로그래밍	

⑤ 프로토타입을 설계과정을 계획하고 설계한 후, 사진과 함께 그 과정을 설명해 보자.

⑥ 완성한 프로토타입을 실행해 보고 실행결과를 정리해 보자.

▶ 실험 설계를 선택했다면,

① 앞에서 찾은 변인들을 바탕으로 실험가설을 세워보자. (읽어보기 실험설계 방법에 대한 예시는 무엇이 있을까? 86쪽 참고)

② 실험과 관련한 선행연구를 조사하여 정리해 보자.

③ 실험방법, 실험과정 및 활동을 포함하여 실험을 설계해 보자.

순서	실험 과정	비고

④ 실험을 실행하고 각 연구 단계별 실험 결과를 작성해 본다. 이때, 실험 과정 중 관찰한 결과를 빠짐없이 기록하며, 의도한 사건이나 주목할 만한 사건뿐만 아니라 의도하지 않은 내용까지 빠짐없이 기록해 보자.

<table>
<tr><th>실시 내용</th><td colspan="3"></td></tr>
<tr><th>일시</th><td>년 월 일 시 분</td><th>환경 (온습도)</th><td></td></tr>
<tr><th>관찰
내용
및
결과</th><td colspan="3"></td></tr>
<tr><th>특이사항 및
기타</th><td colspan="3"></td></tr>
<tr><th>작성자</th><td>(서명)</td><th>검토자</th><td>(서명)</td></tr>
</table>

<table>
<tr><td>실시 내용</td><td colspan="4"></td></tr>
<tr><td>일시</td><td>년 월 일 시 분</td><td>환경 (온습도)</td><td colspan="2"></td></tr>
<tr><td>관찰
내용

및

결과</td><td colspan="4"></td></tr>
<tr><td>특이사항 및
기타</td><td colspan="4"></td></tr>
<tr><td>작성자</td><td>(서명)</td><td>검토자</td><td colspan="2">(서명)</td></tr>
</table>

<table>
<tr><td>실시 내용</td><td colspan="3"></td></tr>
<tr><td>일시</td><td>년 월 일 시 분</td><td>환경 (온습도)</td><td></td></tr>
<tr><td>관찰
내용

및

결과</td><td colspan="3"></td></tr>
<tr><td>특이사항 및
기타</td><td colspan="3"></td></tr>
<tr><td>작성자</td><td>(서명)</td><td>검토자</td><td>(서명)</td></tr>
</table>

⑤ 관찰 및 실험 결과를 표 혹은 그래프 등으로 나타내고, 이를 바탕으로 인과관계 혹은 상관관계가 나타나는지 확인해 보자.

⑥ 실험 결과를 기반으로 결론을 도출하여 적어보자.

실험 결과를 기반으로 한 결론

⑦ 실험의 제한점을 적어보자.

실험의 제한점

⑧ 실험의 시사점 및 추후연구를 적어보자.

실험의 시사점 및 추후 연구

▶ 데이터 분석을 선택했다면,

(읽어보기 데이터 분석 방법에 대한 예시는 무엇이 있을까? 89쪽 참고)

① 최종 선정된 아이디어를 실행하기 위해 필요한 데이터를 수집해 보자.

필요한 데이터	※ 어떤 데이터를 모을 것인가? ※ 어떤 변인이나 정보를 포함하고 있어야 할까?
필요한 데이터 확보방법	※ 데이터를 실제로 측정할 것인가? 웹사이트의 오픈소스를 활용할 것인가?

▶ 공공 데이터 활용 가능한 공공기관 사이트

- 식품의약품안전처(www.mfds.go.kr): 식품, 수입식품, 식품소비, 의약품, 식품 방사능검사 등
- 한국수력원자력(www.khnp.co.kr): 원자력, 신·재생 에너지 현황 등
- 한국원자력산업회의(www.kaif.or.kr : 원자력 산업, 원자력 현황, 원자력 법령 등
- 에어코리아(www.airkorea.or.kr): 대기질, 미세먼지, 초미세먼지 등
- 질병관리본부(www.cdc.go.kr): 감염병, 건강통계 등

② 수집한 데이터의 내용을 살펴보고 문제해결을 위한 변인들을 파악해보자.

③ (데이터 모델링) ②에서 처리된 자료를 바탕으로 다양한 각도에서 변인들의 관계를 탐색해 보고 새롭게 찾아낸 내용이나 패턴을 정리해 보자.

※ 엑셀이나 R, 파이썬 등 통계 분석 프로그램을 활용할 수 있다.

④ (데이터 시각화) ③에서 설계된(모델링된) 다양한 유형의 데이터를 시각화해보자.

⑤ 결과해석을 바탕으로 문제 해결을 위한 방안을 도출해 보자.

4-⑤. 실행결과 평가하기

쟁점해결을 위한 최종 실행 결과를 분석해보고 개선점을 도출해 보자.

결과 분석 및 개선점

STEP 4

CHECKLIST

(1=매우 그렇지 않다, 2=그렇지 않다, 3=보통이다, 4=그렇다, 5=매우 그렇다)

	체크문항	1	2	3	4	5
1	쟁점해결을 위한 대상의 니즈를 충분히 파악했는가?					
2	선정된 최종 아이디어가 인간과 환경에 도움을 주는가?					
3	아이디어 실행방법이 쟁점해결을 위한 최적의 방법이였는가?					
4	아이디어 실행과정에서 지역사회와의 상호작용이 있었는가?					
5	아이디어 실행결과, 수정 및 보완할 사항이 발생하였는가?					

성찰일지

쟁점해결 단계에서 수행한 내용을 되돌아보면서, 문제해결과정에 대한 반성과 개선점, 제시한 해결방안의 타당성에 대한 평가, 느낀점 등을 포함하여 자유롭게 적어보자.

WORKBOOK

5. 사회적 실천

5-① 사회적 실천 방안 기획하기

5-② 사회적 실천 실행결과 기록하기

5-③ 사회적 실천 실행결과 수정 및 보완하기

STEP 5

사회적 실천

사회적 실천 단계는 쟁점 해결 단계에서 얻어진 연구 결과물 혹은 해결 방안을 바탕으로 쟁점 해결을 위한 행동적 실천을 함으로써 지역 사회에 기여하는 단계이다. 행동적 실천 활동으로는 연구 결과물 및 방안의 공유, 정책 제안, 해결 방안 적용 등이 있다. (읽어보기 사회적 실천은 어떻게 해야할까? 95쪽 참고)

5-①. 도출한 쟁점해결 결과를 지역사회에 기여할 수 있는 방향으로 실천기획을 작성해보자.

도움받기 아이디어 실행방법

▶ 지역사회로의 행동적 실천 활동 (읽어보기 사회적 실천의 예시 참고하기. 95쪽 참고)

- 연구결과 적용하기: 제작한 프로토타입의 쟁점현장에 적용, 상품 출시 등
- 연구결과 공유하기: 제작과정 오픈소스로 공유, 교내외 학술대회 발표, 지역주민 대상 세미나, SNS 및 유튜브를 활용한 글쓰기 및 영상제작, 지역사회 캠페인, 플래시몹(Flashmob) 등
- 정책 제안하기: 연구결과를 바탕으로 해당 쟁점과 관련한 기관에 정책 제안하기 등

실천 방안 기획

※ 실천기획에는 기획목적 및 필요성, 기획 장소 및 일시, 실천 내용 및 방법, 추진일정, 필요한 비품 등을 고려한다.

5-②. 기획한 사회적 실천을 실행해 보고 그 결과를 정리해보자.

실천 후 실행결과

5-③. 사회적 실천 실행결과를 정리하여 공유하고 수정 및 보완사항에 대해 논의해 보자.

수정 및 보완사항

STEP 5

CHECKLIST

(1=매우 그렇지 않다, 2=그렇지 않다, 3=보통이다, 4=그렇다, 5=매우 그렇다)

	체크문항	1	2	3	4	5
1	쟁점해결 방안의 사회적 실천은 지역사회에 긍정적인 기여를 하였다.					
2	과학기술공학자로서 쟁점에 대한 사회적 책임감을 인식하게 되었다.					
3	과학기술공학자로서 쟁점에 대한 지역사회로의 기여에 동참할 것이다.					

성찰일지

사회적 실천단계를 수행한 후 과학자 · 공학자의 사회적 역할에 대한 생각의 변화, 사회적 실천이 본인에게 주는 의미, 사회적 실천에의 어려움 등을 포함하여 자유롭게 적어보자.

함께 해보는 과학기술 쟁점해결과 실천: ENACT 프로젝트 워크북

초판발행 2022년 2월 15일

지은이 이현주 · 황요한 · 고연주 · 최유현 · 옥승용 · 남창훈 · 심성옥 · 김가형
펴낸이 노 현

편 집 배근하
기획/마케팅 이후근
표지디자인 이영경
제 작 고철민 · 조영환

펴낸곳 ㈜ 피와이메이트
서울특별시 금천구 가산디지털2로 53 한라시그마밸리 210호(가산동)
등록 2014. 2. 12. 제2018-000080호

전 화 02)733-6771
f a x 02)736-4818
e-mail pys@pybook.co.kr
homepage www.pybook.co.kr
ISBN 979-11-6519-245-7 94370
979-11-6519-263-1(세트)

* 이 도서는 2019년 대한민국 교육부와 한국연구재단의 지원을 받아 수행된 결과물임
(NRF-2019S1A5A2A03041635)

정 가 22,000원(set)

박영스토리는 박영사와 함께하는 브랜드입니다.